le petit livre des

remèdes pour lendemains de fête

Alex Benady

Illustré par Moira McNamara

Appletree Press

Première Publication en 1997 chez
The Appletree Press Ltd,
The Old Potato Station,
14 Howard Street South
Belfast BT7 1AP
Tél.: +44(0) 28 90 243074
Fax: +44(0) 28 90 246756
E-mail: reception@appletree.ie
Site Internet: www.appletree.ie

Le petit livre de remèdes pour lendemains de fête

Cet ouvrage est catalogué à la British Library

0 -86281-771-4

INTRODUCTION

Personne ne sait avec certitude quand l'alcool a été découvert, mais on peut raisonnablement imaginer que la gueule de bois est apparue presque exactement dix heures plus tard.

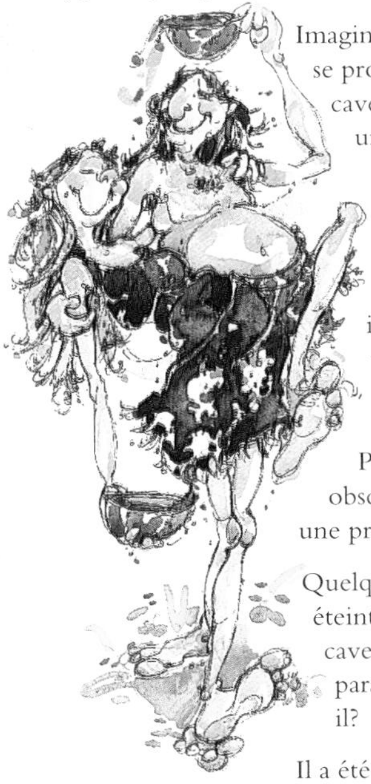

Imaginez la surprise de notre noble ancêtre. Il est là, se promenant tranquillement en bon homme des cavernes qu'il est, tout en buvant à grands traits une eau curieusement pétillante trouvée dans un récipient qui contenait par hasard de vieux fruits.

Et voilà tout d'un coup que le monde est devenu un endroit assez bizarre et très intéressant. En moins de deux heures, ses voisins de caverne sont devenus ses amis les plus chers et les mystères de l'univers commencent à se dévoiler d'eux-mêmes. Plus tard dans la nuit, chantant à tue-tête des obscénités autour du feu de camp, il plonge dans une profonde torpeur et s'endort.

Quelques heures plus tard... C'est l'aube, le feu s'est éteint et la grotte est froide. Notre homme des cavernes se réveille et s'attend à retrouver le paradis terrestre de la veille. Mais que se passe-t-il?

Il a été attaqué. L'ours qui habitait la caverne avant lui est revenu et l'a frappé brutalement sur la tête avec un gourdin. Il lui a arraché les yeux pour les remplacer par des braises tirées du feu. Et sa vessie s'est vidée comme par magie sur son manteau de fourrure tout neuf.

En essayant de se lever, notre homme des cavernes remarque avec horreur la silhouette endormie allongée près de lui. Dans la lumière blafarde du petit jour, la femme merveilleuse qui, la veille, paraissait si élégante et sophistiquée se révèle être une guenon du petit groupe qui traîne sur la colline d'à côté.

Pauvre *Homo sapiens.* Car la triste vérité est que, bien qu'il se sente à ce moment horriblement mal, il ne peut rien espérer de mieux de la journée.

En fait, il ne peut rien espérer de mieux pendant les deux jours suivants parce que notre homme des cavernes a, littéralement, la plus belle gueule de bois de tous les temps. Son crâne est comme une petite capsule de souffrance à l'état pur qui répercute des douleurs tambourinantes, des douleurs lancinantes et des douleurs percutantes. Il a la bouche sèche, tapissée de quelque chose d'indescriptible – de toute façon il ne peut pas parler – et c'est comme s'il avait les dents recouvertes de daim. Il a la langue gonflée comme un saucisson avarié et son haleine ne serait pas pire s'il avait dans la gorge un chien crevé depuis deux semaines.

Il a l'impression qu'il va s'évanouir quand il essaie de bouger. S'il tourne la tête, le monde tourbillonne et se brouille. Quant à son estomac gargouillant, il menace de descendre dans les talons ou de remonter jusqu'à la bouche.

Son corps tout entier est saisi de tremblements. Il a le visage et les oreilles qui brûlent. Ses mains transpirent, tandis que son torse est moite de froid.

Pauvre, pauvre *Homo sapiens*. Il pensait qu'il avait découvert le paradis. D'une certaine façon, c'était vrai. Mais en même temps, il avait aussi découvert l'enfer. Est-ce qu'on peut voir là la première leçon de morale de l'homme? Peut-on en déduire que le fruit de l'arbre de sagesse était en fait une pomme à cidre?

L'alcool a certainement joué un rôle religieux important dans les premières civilisations, pour lesquelles il a souvent été un outil d'édification philosophique. Et à travers l'histoire, l'homme est resté fasciné par la notion de dualisme – l'idée que toute chose contient son propre contraire: le jour est suivi de la nuit, chaque haut a son bas, et le yin va avec le yang aussi sûrement que le gin avec le Schweppes.

Vu sous cet angle, ce petit ouvrage est parfaitement immoral. C'est une tentative éhontée de retirer la douleur de l'un des plus grands plaisirs de l'homme. C'est une tentative éhontée de défier les lois fondamentales de la nature. C'est une tentative éhontée de guérir la gueule de bois.

CHAPITRE UN

Petite Histoire de l'Alcool

•••

Il fallut attendre des centaines de milliers d'années après l'apparition de l'*Homo sapiens* pour que l'homme apprenne à fabriquer ce liquide magique quand il le voulait. Mais quand il a su, il semble qu'il s'y soit employé – autant et aussi souvent que possible.

Certains historiens pensent même que si l'homme a cessé d'errer en se livrant à la cueillette et à la chasse pour devenir un fermier sédentarisé, c'est uniquement pour pouvoir cultiver les vignes et les céréales dont il avait besoin pour produire du vin et de la bière. Que cela ait été le cas ou qu'il ait simplement eu trop mal aux cheveux pour pouvoir marcher, dès 8000 avant J.-C., les habitants du Moyen-Orient vénéraient le dieu de l'orge sauvage – l'ingrédient de base de la bière. Mille ans plus tard, les dipsomanes enthousiastes de l'âge de pierre cultivaient la vigne dans le Caucase.

Mais la honte éternelle d'avoir été le premier homme saoul de l'histoire revient à Noé, celui de l'arche et du déluge. Le livre de la Genèse nous dit qu'après le déluge:

«Noé se mit à cultiver et planta de la vigne...»

Rien à redire jusque là, il faut bien s'occuper. Mais au verset suivant, Noé commence à consommer ses propres produits:

«... et il but du vin et fut ivre ...»

Ce qui est pire, c'est qu'il s'écroula dans sa tente, hébété et nu comme un ver. Ce sont ses fils qui durent se traîner jusqu'à la tente pour le couvrir, de sorte qu'ils:

«...ne voient point la nudité de leur père.»

Bien que cet épisode semble avoir gâché les relations de Noé avec ses fils, notamment avec Ham qui le découvrit dans cet état compromettant, sa santé n'en fut pas le moins du monde affectée. La Bible fait état d'une longévité remarquable pour Noé, qui vécut jusqu'à l'âge de 950 ans. Traitez-moi d'infidèle si vous voulez, mais cela me semble peu probable, même selon les normes bibliques. Le copiste a dû faire une erreur. Cela dit, même s'il a vécu jusqu'à 590 ans suite à ses écarts de boisson, cela semble très correct.

Si c'est ce que les gens croyaient vraiment à l'époque, il n'est pas étonnant qu'un auteur légèrement postérieur, un poète sumérien anonyme des environs de 3000 avant J.-C., ait ainsi rêveusement écrit:

«Je me sens merveilleusement bien, buvant de la bière d'humeur sereine, la joie au cœur et le foie content.»

Manifestement, il restait encore beaucoup à apprendre à cette époque sur la poésie et les effets physiques de l'alcool. Pourtant, la bière en particulier occupait une place centrale dans les anciennes civilisations – non seulement elle permettait l'accès au monde spirituel et constituait une source nutritive vitale, mais elle lubrifiait également l'économie.

On dit que les Assyriens utilisaient la bière, qu'ils appelaient *kash*, comme une forme de monnaie. De nos jours encore, l'argent est encore affectueusement appelé jetons à bière dans les cercles de buveurs anglais, et cash partout ailleurs.

Les Egyptiens, quant à eux, raffolaient encore plus d'un bon demi de bière – l'économie et la religion étaient inextricablement liées et alimentées par ce que l'on appela plus tard «la charmeuse de serpents dorée». Il nous faut pourtant reconnaître, par souci de véracité, que la bière égyptienne n'était sans doute ni dorée ni charmeuse, mais fabriquée plutôt à partir de pains de malt trop cuits qui lui donnaient une teinte marron foncé et de mandragore – la racine démente de Shakespeare – pour l'amertume.

Le vieux Ramsès, sage pharaon, comprit que celui qui contrôle la bière contrôle le cœur et l'esprit du peuple. C'est pourquoi il fonda une brasserie d'Etat – le premier exemple connu de tentative de production à grande échelle par l'homme – grâce à laquelle il pouvait offrir une tournée ou deux à ses alliés, et plus particulièrement à l'administrateur du temple qui recevait 10 000 hectolitres de bière gratuite par an.

Avec le réchauffement progressif du climat durant le millénaire suivant, les céréales firent place à la vigne autour de la Méditerranée – au centre de l'action à l'époque, du moins pour la civilisation européenne.

Dans la Grèce antique en particulier, le «produit du raisin pourri» n'avait de secrets pour personne, à tel point que, comme nous le verrons plus tard, les Grecs devinrent experts dans l'art de s'occuper des conséquences.

Les Romains transformèrent l'art de boire des Grecs en une religion – et pas uniquement réservée à ces messieurs. La seule manifestation de spiritualité des ménades, les femmes adeptes de Bacchus, dieu du plaisir, prirent la forme de beuveries géantes et frénétiques qui se terminaient invariablement par une mêlée générale très libertine. Et comme c'est aux Romains encore que l'on doit l'utilisation du plomb comme additif édulcorant du vin – une pratique qui s'est maintenue jusqu'à son interdiction au siècle dernier – on peut imaginer la gueule de bois particulièrement intense dont souffraient ces exhibitionnistes éméchés.

Les Romains aimaient peut-être bien leur vin mais, comme beaucoup après eux, la bière anglaise les répugnait. L'empereur Julien fut si retourné par sa première gorgée de ce qui était sans doute un breuvage tiède et plat au fort goût de levure qu'il écrivit une petite chansonnette à cette occasion. Il l'appela *Sur le vin fabriqué avec de l'orge.*

«Qui t'a fait, et avec quoi? Par le vrai Bacchus je ne te connais pas. Il sent le nectar, mais tu sens la chèvre.»

Pourtant, même «l'eau de chèvre» a son utilité et les Romains la pressèrent bientôt, faisant du breuvage infâme un tonique et un supplément vitaminé pour combattre les épidémies de tuberculose parmi les légionnaires.

Si les ménades avaient pris la peine d'essayer, elles auraient également découvert que c'est un excellent remède contre les mycoses.

Et c'est ainsi que la bière anglaise poursuivit allègrement son chemin, indifférente aux insultes de l'envahisseur.

Durant le Haut Moyen Age, le brassage était avant tout une tâche domestique effectuée par les femmes. Lorsqu'une nouvelle cuvée était prête, on le faisait savoir en fixant un piquet couvert de feuilles à la fenêtre. Telle est l'origine du pub anglais, qui explique pourquoi les enseignes de pub sont encore suspendues à des piquets et pourquoi le mot *bush* (buisson) figure encore aussi souvent dans leur nom.

Avec l'avènement du christianisme, la fabrication de la bière devint une fois de plus une affaire d'hommes et de religion. Les monastères possédaient d'énormes équipements de brassage. Vers l'an mille, les moines de la cathédrale Saint-Paul de Londres produisaient en moyenne neuf cents litres de bière par jour. Cela dit, les frères considéraient que quatre litres par jour représentaient le minimum vital pour l'homme et, vu les normes de l'époque, cela n'avait peut-être rien d'extraordinaire.

Pendant le millier d'années environ qui suivit, les Européens descendirent des quantités d'alcool qui les catalogueraient, à notre époque plus modérée, comme ayant un gros problème. Mais est-ce que cette habitude a interféré en quoi que ce soit avec leur travail? Pas le moins du monde. Même l'essor de l'empire britannique, à ses débuts, peut être attribué à l'alcool.

Jusqu'en 1740, les marins britanniques avaient droit à une demi-pinte de rhum sec par jour, ce qui explique deux choses: pourquoi ils ont découvert autant de contrées nouvelles tandis qu'ils tanguaient, titubants, autour du globe (ils se perdaient tout le temps), et l'agressivité extrême qui leur permettait de prendre le pouvoir quand ils arrivaient quelque part.

Les choses n'étaient guère mieux sur le continent. Philippe le Bel d'Espagne était un ivrogne notoire et, comme bien d'autres monarques et papes, but jusqu'à ce qu'il en meure. Rien de particulièrement amusant ou malin à cela. Ce qui est plus inhabituel cependant, c'est que sa femme Jeanne le rejoignit au lit pour un dernier petit coup avant qu'il ne meure et ne retrouva jamais assez de sobriété pour pouvoir ressortir du lit. De fait, elle y resta vautrée pendant les trois années qui suivirent, essayant de diriger le pays entre deux toasts portés à son pauvre mari dont le corps putréfié devait rester, insistait-elle, à côté d'elle. Force est d'admirer une telle loyauté. Mais la légende veut que lorsque la dépouille ramollie de Phil fut finalement levée, sa femme aimante et, à ce stade complètement folle, ne le remarqua même pas.

> «Il n'y a d'autre remède à la gueule de bois que la mort.»

Robert Benchley

Au neuvième siècle, un Arabe anonyme fabriqua le premier alambic (l'appareil servant à pratiquer la distillation) ou *khul*, qui donna à son tour son nom à l'alcool. Paradoxalement, la montée de l'Islam représenta le premier revers pour l'alcool et son ombre menaçante, la gueule de bois, tandis que l'illégalité de l'alcool transformait des pans entiers du Proche et du Moyen-Orient en zones exemptes de gueule de bois.

Le seul autre territoire au monde à ignorer l'alcool était l'Amérique du Nord précolombienne. Là, pour des raisons qui ne sont pas parfaitement claires mais que l'on peut éventuellement attribuer à la préférence des autochtones pour les hallucinogènes et les narcotiques, des générations entières se succédèrent sans découvrir la fermentation. Bien que les Papago du sud-ouest aient inventé un vin de cactus et que les Tarahumara du Nouveau-Mexique, si l'on en croit certaines sources, aient brassé une fameuse petite bière de maïs, le reste du continent resta aussi sec que le Martini de James Bond.

Le Nouveau Monde continua d'entretenir une relation ambivalente avec l'alcool jusqu'au vingtième siècle. Ce ne fut jamais plus évident que durant la Prohibition, cette éruption bizarre et autodestructrice de moralité civique déplacée qui, loin de réduire la consommation d'alcool et l'immoralité qui l'accompagne, eut exactement l'effet inverse. Les gens découvrirent toutes sortes de façons ingénieuses de contourner l'interdiction. Un distillateur, RA Dickel of Kentucky, fit simplement donner au bourbon qu'il fabriquait le label de médicament, délivré uniquement sur ordonnance, tandis que certains buveurs allaient étancher leur soif sur des bateaux qui croisaient juste au-delà des eaux territoriales. Les clubs illégaux où l'on pouvait consommer de l'alcool sortirent de terre comme des champignons après une bonne pluie.

Après dix années de Prohibition, la consommation d'alcool avait atteint un niveau record, les grands criminels s'étaient enrichis au-delà de leurs rêves les plus fous et les infractions à la loi étaient devenues chose courante. Mais le comble, c'est que la gueule de bois était désormais un signe de prestige, une marque amusante de sophistication désabusée.

CHAPITRE DEUX

Les Faits

•••

Il est possible que vous lisiez ce livre dans un esprit de curiosité scientifique. Vous pouvez ainsi chercher à élargir vos horizons dans des domaines pour lesquels vous n'avez aucune expérience personnelle, ou peut-être voulez-vous en savoir plus sur le calvaire de ceux qui n'ont pas votre chance.

Cependant, il est beaucoup plus probable que vous êtes un ivrogne endurci aux prises avec un mal aux cheveux violent et particulièrement douloureux et que vous cherchez désespérément un soulagement. Mais avant de pouvoir trouver le salut, vous devez comprendre la nature de votre damnation.

La gueule de bois est un ennemi invisible qui franchit les défenses de votre corps et provoque, insidieusement et tout d'un coup, la dévastation de tout un ensemble de systèmes clés – rendant difficile, mais pas impossible, toute tentative de remède.

Le problème majeur est celui de l'attaque toxique sur votre organisme qui n'a qu'une faible capacité de traitement des poisons. Lorsque vous buvez, les enzymes de votre foie décomposent l'alcool, tout d'abord en acétaldéhyde, une toxine hideuse bien pire encore que l'alcool, puis en une substance bénigne par comparaison appelée acétate. Le procédé est favorisé par un produit chimique sympathique connu sous le nom de dérivé d'acide nicotinique (DAN) qui aide à la transformation par métabolisme de l'alcool et de l'acétaldéhyde.

Tant que vos réserves d'enzymes et de DAN ne sont pas épuisées, les effets secondaires de l'alcool ne vont pas vous affecter. En fait, vous serez à peine saoul. Mais on fait face à deux problèmes. Le premier est que l'organisme moyen ne peut traiter que l'équivalent pathétique en alcool d'une demi mesure de bar par heure. Si vous dépassez cette limite, votre foie ne peut pas produire suffisamment d'enzymes et vous commencez à être pompette.

Le deuxième problème est que la plus grande partie de ce que vous absorbez n'est pas de l'alcool pur. Les boissons contiennent toutes sortes d'additifs, colorants et arômes qui les rendent plus intéressantes. Ce sont ces petits extras qui font des dégâts. Appelés congénères, ils peuvent inclurent des substances qui, absorbées pures, vous tueraient net. Diluées dans l'alcool, elles vous donnent seulement envie de mourir.

Mais tout n'est pas perdu – vous avez plusieurs stratégies à votre disposition. Pour commencer, vous pouvez essayer de réduire votre absorption d'alcool au niveau qui peut être métabolisé par l'organisme. Cette approche ne présente qu'un intérêt limité puisqu'elle suppose que vous buviez beaucoup moins et plus lentement. Une autre tactique, plus facile, consiste à inhiber l'absorption d'alcool dès le départ en vous doublant les parois de l'estomac d'une pellicule étanche de graisse et d'huile avant de commencer à boire.

Vous pouvez également choisir des boissons contenant moins de congénères. Pour simplifier, plus votre boisson est pure, ou plus la couleur est claire, moins elle contient de congénères, ce qui explique pourquoi le bourbon, le cognac et le porto sont coupables des plus grands crimes, tandis que la vodka et le vin blanc sont, en comparaison, relativement innocents.

Mais imaginons un instant que vous ayez fait la folie de vous permettre un verre ou deux de vin rouge ou de xérès, l'un comme l'autre grouillant de congénères. Quelles sont vos options?

Vous pouvez essayer une défense chimique sous forme de chélateurs – des pirates chimiques qui se fixent aux congénères et les emportent. Le charbon de bois, le chou et la vitamine C sont autant de chélateurs bien connus:

> «Hier soir vous buviez assidûment
> Et maintenant vous avez mal au crâne. Dormez.
> Prenez du chou bouilli au réveil
> Et voilà la fin de votre mal de tête.»

Athénées – Le Banquet des Erudits

Une autre défense consiste à stimuler votre capacité à métaboliser les toxines: le fructose (présent dans le miel, par exemple) et l'oxygène sont censés être très efficaces dans ce cas. Et l'une des meilleures façons de faire passer de l'oxygène dans votre sang est de faire de l'exercice.

Cette observation constitue la base physiologique de l'école du bon coup pour les remèdes contre la gueule de bois:

> «A votre réveil, si votre femme ou autre partenaire est près de vous et, bien sûr, qu'elle est consentante, livrez-vous à l'acte sexuel aussi vigoureusement que vous le pouvez. L'exercice vous fera du bien et, en présumant que vous aimez faire l'amour, vous remontera au niveau émotionnel.»

Kingsley Amis

Vous pensez donc maintenant que la bataille est gagnée – mais il y a encore un problème. L'alcool déprime. Le cerveau réagit en modifiant les parois de ses cellules pour faire face à l'attaque. Mais le cerveau s'adapte moins rapidement que n'avance l'alcool. C'est pourquoi, le lendemain matin, votre pauvre cerveau est toujours en train d'essayer de s'occuper de grandes quantités de poison qui ne sont plus là. Le résultat? Une sensibilité extrême au bruit, à la lumière et au mouvement qui caractérise les premiers stades d'une gueule de bois:

> «Est-ce que quelqu'un pourrait faire arrêter ce raffut?»

WC Fields, super héros éthylique, en entendant le pétillement de l'Alka Seltzer dans un verre après une soirée particulièrement arrosée.

Votre cerveau hurle pour qu'on le laisse en paix. Il a besoin qu'on l'aide, qu'on le stimule et qu'on le persuade avec amour de revenir à la sobriété, pas qu'on le pousse impitoyablement du côté où il n'a pas pied. Telle est la base physiologique de la théorie du petit verre qui fait passer la gueule de bois, principe rejeté par beaucoup comme un mythe. En fait, en traitant le mal par le mal, vous permettez à votre cerveau de se rapprocher avec précaution de la normalité.

> «Je ne me fis plus aucune illusion sur la gravité de ma gueule de bois quand un chat rentra dans la chambre en tapant des pieds.»
>
> **PG Wodehouse**

Outre les quinze bières que vous avez descendues, si vous avez besoin d'uriner aussi souvent lorsque vous avez bu, c'est que l'alcool est un diurétique puissant – votre corps n'a pas son mot à dire ici, il doit évacuer les liquides.

Non seulement il vous déshydrate, mais l'alcool détruit aussi toute une série de sels, vitamines et oligo-éléments vitaux – vos stocks de calcium, potassium, magnésium, vitamines C, B1 et B6 en prennent tous un sacré coup après quelques verres. Ajoutez à cela les effets de deux paquets de cigarettes à teneur maximale en goudron et d'une platée de curry très épicé et vous comprenez pourquoi le goût que vous retrouvez dans votre bouche le lendemain matin rappelle souvent celui d'un tas de fumier.

C'est aussi à cause de l'alcool que votre sécrétion d'insuline passe en vitesse surmultipliée, réduisant ainsi votre niveau de glucose dans le sang et accentuant l'impression de faiblesse, de fatigue et de faim.

Heureusement, le remède pour la déshydratation, la perte de vitamines et le déséquilibre chimique est simple – assurez-vous que vous remplacez les liquides et autres substances, de préférence avant une séance au bar et en tout cas tôt de lendemain matin:

> «Alors que la bière apporte la joie, n'oubliez pas que l'eau se contente de vous mouiller.»
>
> **Harry Leon Wilson**

Il reste juste un dernier problème – le déclenchement d'une torpeur et d'une lassitude extrêmes. Ce poison pernicieux interfère avec ce que l'on appelle le MRO, le mouvement rapide de l'œil, à savoir la partie du sommeil durant laquelle vous rêvez. Le MRO se produit quatre ou cinq fois par nuit. Sans le MRO, vous êtes tout d'abord irritable puis, après quelques jours, vous devenez un psychotique qui hallucine à plein pot.

Pour compenser l'absence de MRO, votre système produit lui-même des rêves, durant la journée si nécessaire. Il ne s'occupe pas de savoir si vous êtes en train de conduire à ce moment-là, de parler à votre patron ou d'écouter une confession.

> «Pourquoi la bonne vieille coutume de se réunir pour se saouler ensemble a-t-elle disparu? Imaginez le bonheur de boire en bonne compagnie et de s'allonger ensuite dans un long et profond sommeil.»
>
> **Nathaniel Hawthorne**

Même ceux de nos lecteurs qui ne sont pas spécialistes de physique nucléaire auront compris les implications de ceci. Après avoir bu (de préférence en compagnie), essayez d'aller au lit de bonne heure (de préférence seul) et restez-y aussi longtemps que possible.

Bien sûr, nous nous sommes contentés ici de décrire les forces en jeu à l'intérieur de votre organisme. Le résultat précis en termes de douleur ressentie pour un volume d'alcool donné varie d'une personne à l'autre selon la condition physique et émotionnelle.

L'un des facteurs clés est l'expérience que vous avez en tant que buveur. Bien sûr, si vous descendez deux bouteilles de rouge qui tache tous les soirs depuis cinq ans, quelques tasses de sangria ne vont pas vous affecter de la même manière qu'elles risquent bien d'achever un novice complet.

Tout dépend aussi dans une large mesure de votre corpulence. La relation entre la capacité d'absorption d'alcool et la taille est à peu près directe. C'est pourquoi, tous autres facteurs étant égaux, un homme de 100 kg aura exactement la même quantité d'alcool dans le sang après quatre bières qu'une femme de 50 kg après deux.

Voilà à peu près tout ce que vous devez savoir sur ce qui constitue une gueule de bois et sur les symptômes que vous devez prendre en compte. Armé de cette connaissance, vous serez capable de discerner une faible lueur de logique scientifique pour nombre des manies et rites bizarres qui suivent.

CLASSEMENT DE DIFFÉRENTES BOISSONS PAR INTENSITÉ DE GUEULE DE BOIS

Bourbon 10/10	Il vaudrait encore mieux être mort. En fait, vous êtes peut-être déjà mort.
Porto 9/10	Et si on essayait la salle de réanimation?
Xérès 8/10	De toute façon, c'est cool de se faire faire un lavage d'estomac.
Vin rouge 8/10	Le lavage d'estomac s'avère très populaire.
Pur malt 7/10	Réservez votre abonnement pour la saison au rang désolation.
Champagne 7/10	Rang désolation prochain arrêt.
Cognac 6/10	Trois cents aspirines et deux jours de congé en viendront bien à bout.
Rhum 6/10	Passez chez le pharmacien et faites prolonger votre «congé de maladie».
Scotch 5/10	Voilà qui dégoûterait à vie la plupart des gens de l'alcool, mais pas vous.
Vin blanc 4/10	Peut-être que vous ne vous sentiriez pas aussi mal si vous aviez pris la peine de manger quelque chose.
Bière 3/10	Vous allez peut-être pouvoir survivre à la gueule de bois, mais allez-vous pouvoir survivre à la brioche que l'on prend quand on boit de la bière dans de telles quantités?
Gin 2/10	Que cela vous tienne lieu d'avertissement.
Vodka 1/10	Vous vous croyez très malin. Vous avez peut-être échappé à la gueule de bois, mais la cirrhose ne se manifeste que quand il est trop tard.

CHAPITRE TROIS

STRATÉGIES ANTI-GUEULE DE BOIS & PETITE HISTOIRE EDIFIANTE

•••

Considérez les rudiments de connaissance physiologique que vous venez juste d'acquérir comme les éléments d'un jeu de construction avec lesquels vous allez construire l'édifice qui sera votre stratégie anti-gueule de bois.

En toute logique, il existe cinq techniques fondamentales pour s'occuper de la gueule de bois:

1. EVITEZ-LA

Personne ne vous oblige à boire. Vous avez toujours la possibilité de rester sobre. Il suffit de dire non. Cette approche présente l'avantage d'être la seule technique garantie, connue de l'homme, pour échapper à la gueule de bois. Mais même un pygmée intellectuel comme Dean Martin verrait la faille majeure qu'elle présente:

«Je plains les gens qui ne boivent pas. Quand ils se réveillent le matin, ils savent qu'ils n'ont aucun espoir de se sentir mieux d'ici la fin de la journée.»

2. EMPÊCHEZ-LA

La prévention est une approche intelligente. Malheureusement, la prévention suppose également une gestion active de son corps durant la séance de beuverie, grâce à des mesures telles que l'absorption d'eau et de vitamines. Si vous êtes capable d'interventions de ce type, cela signifie probablement que vous n'êtes pas vraiment saoul et que vous n'auriez pas eu la gueule de bois du siècle de toute façon.

3. Supportez-la

C'est l'approche préconisée par les sadiques et les moralistes despotiques. Elle contient l'implication détestable que vous êtes responsable de vos actes et que vous devez en subir les conséquences. Mais peut-être y a-t-il un peu de puritain qui sommeille en chacun de nous – et cela nous fait peut-être du bien de faire pénitence pour avoir eu du bon temps en punissant de temps en temps notre âme, notre tête, notre estomac, etc.

> «La seule façon de se débarrasser d'une tentation est d'y succomber.»
>
> **Oscar Wilde**

4. Anesthésiez-la

Vous pouvez toujours endormir votre douleur avec une armoire à pharmacie pleine d'aspirines, paracétamols, nettoyants ménagers et produits pour argenterie. Bien que cette approche soit la plus populaire, son inconvénient majeur est qu'elle ne prend en compte aucun de vos symptômes réels. Elle laisse également votre corps aussi déglingué qu'avant le traitement, sinon pire.

5. Occupez-vous-en

Si vous êtes quelqu'un dont la planification financière consiste à jouer 100 francs au tiercé le dimanche matin ou qui croit que le loto va résoudre tous les problèmes, si, en d'autres termes, vous êtres un buveur typique, alors c'est la méthode que vous devez adopter. On l'appelle également la méthode du beurre et de l'argent du beurre.

Assumez simplement l'entière responsabilité de ce que vous avez bu et de la gueule de bois qui suit et espérez que, parmi tous les remèdes qui suivent, il y en a un qui va miraculeusement soulager tous vos symptômes et vous remettre sur pied sans effort.

Mais un mot d'avertissement avant de commencer: jusqu'ici ce livre a reflété l'opinion couramment répandue que la gueule de bois n'est qu'un léger inconvénient, le prix à payer qui en vaut bien la peine pour une bonne soirée de temps en temps. Pour avoir une perspective différente, et peut-être plus exacte, sur la gueule de bois, oubliez un instant que c'est l'alcool le coupable et essayez d'imaginer votre réaction face à quelqu'un qui a abusé hier soir d'une autre drogue dangereuse, l'héroïne par exemple.

VOUS: Oh, la tête que tu as. Tu dois vraiment t'être bien shooté hier soir.

COPAIN (se prenant la tête de manière pathétique): Plusieurs fois en fait. Et je me suis servi de ta cravate préférée comme garrot. Désolé pour les taches de sang. Oui, on a mis la main sur un demi-gramme de super came et on s'est tout envoyé en moins d'une heure. L'ennui, c'est qu'elle était coupée avec du permanganate de potassium et on n'avait qu'une seringue pour trois. Tu parles si on s'est défoncé.

Est-ce que: a) vous riez d'un air de conspiration mais aussi de compassion et vous commencez à préparer pour votre pote une seringue propre, pleine de votre favorite? ou b) vous appelez immédiatement la police, une ambulance et un psychiatre, dans cet ordre-là? En tout cas, assez moralisé. Faisons la fête.

CHAPITRE QUATRE
LE TOUR DU MONDE DANS LES BRUMES

•••

Allez dans n'importe quel restaurant à la mode à peu près partout dans le monde et vous constaterez que, cette année, la biture au déjeuner n'est plus de mise dans le beau monde. Les préoccupations contemporaines en matière de santé veulent qu'une ébriété extrême, notamment dans l'après-midi, manque un tout petit peu de classe et soit politiquement incorrecte.

On ne peut s'empêcher de trouver cela légèrement ironique, dans la mesure où la gueule de bois est, à bien des égards, le modèle même de l'égalité des chances. Elle n'a rien à voir avec le sexe, la religion, la couleur ou les convictions politiques – nous sommes tous des herbes à faire couper sans distinction par sa terrible faux.

A moins, bien sûr, que vous ne soyez par hasard Japonais, auquel cas il paraît que l'équilibre d'enzymes dans votre système est tel que vous êtes bien plus exposé aux ravages de l'alcool que le reste d'entre nous. La sensibilité nationale à l'alcool est parfaitement illustrée par l'expression japonaise pour la gueule de bois, *futska yoi*, littéralement, 'saoul pendant deux jours'.

Presque toutes les langues ont leurs propres expressions imagées pour ce traumatisme universel. Le chat et le bois semblent particulièrement populaires. C'est ainsi que les Allemands ressentent un *katzenjammer* ou 'gémissements de chats', les Néerlandais subissent les *kater*, ou 'chats bruyants', tandis que les Polonais doivent simplement s'accommoder des *kociokwik*, les 'lamentations des chatons'.

Au Danemark, vous serez peut-être attaqué par les *Tommermaend*, les 'charpentiers', tandis qu'en Norvège vous serez frappé par les *jeg har tommermen*, les 'charpentiers dans la tête'. Quant aux Suédois à l'imagination légendaire, ils doivent vivre avec un *Hont i haret*, une 'douleur à la racine des cheveux'.

Les Latins, qui ne se culpabilisent pas autant quand ils prennent du bon temps, ont généralement une expression plus directe de leur inconfort. Les Italiens adoptent le *malessere dopo una sbornia*, le 'malaise après une beuverie', alors que les Espagnols et les Portugais se contentent du mot simple mais efficace *resaca*, 'l'afflux'.

Les remèdes eux-mêmes sont un mélange de science, de bon sens, d'envie de prendre ses désirs pour des réalités, de superstition et d'imbécillité totale.

LE TONIQUE AUSTRALIEN

Etant les plus gros buveurs de bière au monde, les Australiens s'y connaissent en gueule de bois. Selon un médecin australien, le repas prophylactique (préventif) idéal est le suivant: un bol de lait avec des cornflakes (bourrés de vitamine B) et une orange entière (pour la vitamine C), suivis d'une assiette de purée de pommes de terre bien salée avec du beurre et un verre de lait entier (pour l'étanchéité des parois de l'estomac).

La recette ancestrale (Pays-Bas)

Prenez un foie (de génisse, pas le vôtre), des pieds de mouton et des flocons d'avoine. Faites bouillir le tout pendant six heures et égouttez. Cette soupe, qui fait vraiment saliver, est elle aussi un plat riche en protéines et féculents. Exactement ce qu'il vous faut si vous êtes un paysan du dix-septième siècle et que vous entendez le rester.

Le petit déjeuner irlandais

Une demi-douzaine d'huîtres et une pinte de Guinness, tel est le petit fortifiant que l'on recommande en Irlande. La Guinness regorge de toutes sortes de minéraux et de composants nourrissants qui redonnent à votre organisme son équilibre naturel. Elle contient aussi de l'alcool qui soulage votre cerveau et dissout la douleur. Les huîtres sont censées contenir du zinc.

Le sauna (Finlande)

La chaleur remet votre circulation en route et vous aide à éliminer une partie des toxines de votre système par la transpiration. Vous pouvez, en option, vous rouler dans la neige pour donner à votre corps cette claque métaphorique qui secouera toute fatigue résiduelle. Soyez toutefois prudent si vous êtes très déshydraté – on a mentionné quelques accidents favorisés par la chaleur extrême. Et ne soyez pas tenté d'éliminer une bouteille de vodka dans le sauna – c'est la veille que vous auriez dû le faire.

Le remède Vaudou (Haïti)

Pas très prometteur comme remède. Mettez treize épingles à tête noire dans la bouteille que vous avez bue. Si vous avez plusieurs bouteilles, au moins la concentration qu'il vous faudra pour manipuler vingt-six, trente-neuf, cinquante-deux épingles ou plus vous fera oublier vos souffrances pendant un moment.

LE REMÈDE DE LA FOI PORTORICAINE

Ce remède est à rapprocher du suppositoire à l'acide ascorbique. Coupez un citron bien mûr en deux et frottez-le énergiquement sur vos aisselles. Le conteur et écrivain américain Waverley Root mentionne ce remède (supposé) dans un article du New York Times il y a presque vingt ans. Etait-il sérieux? Est-ce que ça marche? Vous pouvez envoyer vos commentaires à W Root, c/o New York Times, New York.

LES TESTICULES DE VEAU CUISINÉES (USA)

Les cow-boys et autres vachers ne jurent que par une bonne assiette de testicules de veau à la poêle après une dure journée de castration. Pour d'évidentes raisons, ils appellent cette spécialité 'huîtres de prairie'. La recette, vous serez heureux de l'apprendre, n'est pas de la roupie de sansonnet.

Ingrédients:
1 jaune d'œuf, 1 cuillerée à soupe de sauce Worcestershire
1,5 cl de porto, sel de céleri, poivre fraîchement moulu

Versez tous les ingrédients dans un verre à vin. Essayez de ne pas casser l'œuf. Descendez d'un coup.

L'APRÈS-VIN DU RHIN (ALLEMAGNE)

En Allemagne, on aime bien faire les choses scientifiquement. Pas de manger-le-gésier-d'un-lézard-le-cinquième-mardi-d'une-année-bissextile débile pour les Allemands. Ils veulent un traitement qui soit fiable, éprouvé et qui parte à l'heure. Pour ce qui est du traitement des symptômes physiologiques, ce remède est l'un des meilleurs qui existent, même s'il manque un peu de cet ingrédient vital – la compassion.

Cherchez un pharmacien coopératif et demandez-lui de vous préparer un verre contenant un analgésique doux, un complexe à la vitamine B et beaucoup de vitamine C, le tout dans un liquide alcalin. Cette boisson soulage la douleur, réhydrate, remplace les vitamines et les minéraux perdus et soulage l'estomac.

La technique du hareng (Allemagne)

Avant d'avoir la science, les Allemands avaient le poisson. Les supporters de ce remède attribuent au hareng des vertus anti-gueule de bois presque mythiques.

La soupe au chou (Russie)

Beaucoup pensent que la nation russe tout entière se bourre régulièrement. Mais comme les Russes boivent surtout de la vodka, qui contient très peu d'impuretés, ils n'ont peut-être pas toujours le mal aux cheveux que, à votre avis, ils n'auraient pas volé. Cependant, s'ils descendent par erreur un bidon d'eau-de-vie de prune ou de déchets radioactifs, l'action purifiante des chélateurs contenus dans le chou garantit l'efficacité de cette soupe.

Ingrédients:
1 livre de bœuf maigre et un os à moelle
1 gousse d'ail, 1 carotte, céleri, feuille de laurier, poivre
½ chou, aneth frais, crème aigre, sel.

Faites bouillir tout. Buvez tout.

Le Mont Blanc (Suisse)

Aussi appelé boule de neige de l'enfer. Cette recette ne vient pas vraiment de Suisse, mais le blanc d'œuf et les glaçons donnent une apparence vaguement alpestre. C'est le remède par excellence pour la guérison du mal par le mal, qui soulage l'estomac et rétablit le niveau de sucre dans le sang.

Ingrédients:

1 mesure de vermouth

2 mesures d'absinthe

½ cuillerée à café de sirop de sucre roux

1 blanc d'œuf battu

Ajoutez des glaçons et agitez bien au shaker. Allongez avec de l'eau gazeuse.

Le diable rouge (RU)

S'il y a une seule chose qu'on aime plus que la bière à Manchester, c'est le football. Si vous êtes supporter de Manchester United, ce remède a le gros avantage de vous permettre de parer votre boisson favorite des couleurs de votre équipe.

Dans une chope à bière, versez une moitié de bière forte (Boddington's, pour un goût authentique) et une moitié de jus de tomate. Faites tourner élégamment devant votre bouche et renversez tout théâtralement sur votre épaule gauche dans une tentative audacieuse d'imiter le style de jeu de vos héros du foot.

La surprise jamaïcaine

Vous ne pourrez jamais vous choyer de manière aussi sensuelle qu'avec ce remède. Offrez ce riche élixir onctueux à votre pauvre corps meurtri pour découvrir le sens du mot guérison. La surprise vient parfois un quart d'heure après, lorsque votre estomac décide que c'était vraiment trop bon et rejette le tout.

Ingrédients:
1 mesure de rhum pur
1 cuillerée à café de miel
1 cuillerée à café de crème épaisse

Mélangez le tout et agitez au shaker avec beaucoup de glaçons.

La recette de l'œil pour œil (Mongolie extérieure)

L'une des difficultés auxquelles on se heurte lorsque l'on mène des recherches pour un livre comme celui-ci, c'est que les sources que l'on utilise ne supporteraient peut-être pas les vérifications les plus approfondies. Je ne connais personne qui pourrait s'assurer de l'exactitude de ce remède, mais tant pis, il a l'air intéressant.

Si par hasard vous souffrez un jour des conséquences d'un excès de lait de yack fermenté, prenez un œil de mouton en saumure dans le bocal que vous conservez dans votre yourte spécialement à cet effet, mettez-le dans un verre et remplissez de jus de tomate. Fixez-le vaillamment dans le verre jusqu'à ce que l'un de vous deux cligne, et descendez alors d'un coup l'horrible breuvage. Ce remède est si répugnant que votre gueule de bois vous paraîtra futile en comparaison.

Le lait caillé à l'os de baleine (Maroc)

J'ai découvert ce remède traditionnel à Djemaa el Fna, la grande place de Marrakech. Il m'a été enseigné en personne par un fier guerrier et guérisseur berbère, au visage parcheminé aussi ridé et craquelé que les rochers éternels du désert et aux yeux injectés de sang qui brillaient comme deux rubis dans l'air enfumé de la nuit.

Prenez l'os de baleine qui, après quelques années, devient spongieux et se réduit facilement en poudre, et brûlez-le dans un petit creuset. La fumée qui s'en dégage repousse les démons et vous redonne l'état de grâce.

J'ai appris par la suite que nombre des soi-disant chamans berbères de la place sont en fait des élèves ingénieurs de l'université de Casablanca qui se font un peu d'argent pendant les vacances. Mais je ne pense pas que cela mette en péril l'intégrité du remède.

La célèbre friture britannique

Les touristes sont généralement catastrophés par ce qui est considéré comme acceptable dans le domaine alimentaire en Grande-Bretagne. En fait, ils font souvent voter des lois contre dans leurs propres pays. Mais même dans les landes désolées de la cuisine anglaise, la célèbre friture britannique l'emporte haut la main si l'on s'en tient à la qualité déplorable des ingrédients utilisés et au manque d'invention et de génie dans leur combinaison et leur cuisson.

Mais pour des raisons inconnues, cette symphonie de cholestérol, cette rapsodie de lard exerce un pouvoir étrange sur ce peuple qui est unanime, d'un bout du pays à l'autre, sur ses bienfaits thérapeutiques étonnants.

Ingrédients:
2 œufs
1 saucisse
1 tranche de poitrine fumée
1 bonne cuillerée à soupe de haricots blancs à la sauce tomate
boudin noir, tomates et champignons sautés selon votre goût
pain grillé
1 bonne tasse de lavasse

Faites frire le tout (sauf le thé).

CHAPITRE CINQ

LES LEÇONS DE L'HISTOIRE

...

Comment ce fait-il que les remèdes contre la gueule de bois aient pu inspirer l'homme au point qu'il les immortalise sur papier, argile, pierre, cuir et autres?

Etait-ce le sentiment que, comme le secret de la vie éternelle, un bon remède contre la gueule de bois vous permet de défier les lois de la nature? Ou était-ce simplement que l'espèce humaine flaire toujours la bonne affaire et que la perspective de pouvoir se saouler sans en payer le prix semblait trop tentante pour ne pas être criée sur tous les toits?

Quelle qu'en soit la raison, l'histoire nous fournit une source de sagesse quasi inépuisable sur le sujet de la cure du mal aux cheveux. Et tout n'est pas à jeter.

LE REMÈDE ASSYRIEN DE LA POUSSIÈRE DE BEC

A part l'invention de la pile électrique et le mot 'cash', les Assyriens ont une autre raison d'être passés à la postérité: ils ont été les premiers à noter par écrit un remède contre la gueule de bois. Selon les tablettes d'argile découvertes au siècle dernier dans la ville de Nineveh, ils recommandaient le mélange de becs d'hirondelles broyés et de myrrhe pour se guérir des abus.

Voilà qui peut sembler absurde et primitif à nos esprits modernes. Mais le bec des hirondelles étant constitué de calcium, composant que l'organisme doit remplacer après une beuverie prolongée, on peut arguer que le remède assyrien contenait au moins un grain de bon sens.

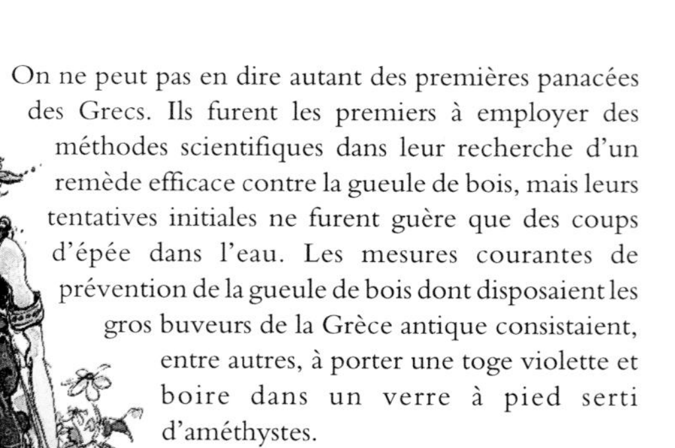

On ne peut pas en dire autant des premières panacées des Grecs. Ils furent les premiers à employer des méthodes scientifiques dans leur recherche d'un remède efficace contre la gueule de bois, mais leurs tentatives initiales ne furent guère que des coups d'épée dans l'eau. Les mesures courantes de prévention de la gueule de bois dont disposaient les gros buveurs de la Grèce antique consistaient, entre autres, à porter une toge violette et boire dans un verre à pied serti d'améthystes.

Mais les Grecs étaient empiriques avant tout et, dès l'instant où ces méthodes s'avérèrent inefficaces, ce qui prit à peine deux cents ans, il passèrent à des approches plus sophistiquées.

LE POIL DU CHIEN GREC QUI VOUS A MORDU, OU LA GUÉRISON DU MAL PAR LE MAL

Cette technique a la triple particularité d'être le second remède à avoir été consigné, d'avoir résisté à l'épreuve du temps et d'avoir été écrite en vers. Qui plus est, elle paraît beaucoup plus logique que la couleur violette.

> «Prenez le poil, voilà qui est bien dit,
> Du chien par lequel vous êtes mordu.
> Eliminez un vin en buvant son pareil,
> Eliminez un labeur en en accomplissant un autre.»

Antiphanes, 479 avant J.-C.

L'HÉRITIER DU POIL DU CHIEN GREC QUI VOUS A MORDU

Nombreux furent ceux qui, plus tard, se réclamèrent l'auteur du remède d'Antiphanes, y compris un Anglais du seizième siècle, John Heywook, qui écrivit:

> «Je vous en prie, laissez-nous, mes amis et moi-même, prendre
> Un poil du chien qui nous mordit hier soir.»

Divers écrivains ont suggéré par la suite que le mot «poil» devait être remplacé par «poils» ou même «touffe». Certains ont pris prétexte de cet exemple de sagesse ancestrale pour faire des expériences avec le «pelage» tout entier du chien. Toutefois, qu'ils sachent bien qu'il y a une différence entre guérir une gueule de bois et se retrouver de nouveau complètement défoncé. Si cette distinction est trop subtile pour vous, c'est sans doute qu'il vaut mieux consulter un médecin.

LE REMÈDE GREC PAR LE MAL DE MER

Les Grecs découvrirent également par hasard un remède encore plus efficace que le poil du chien. Il s'appelait le vomissement. Leurs descendants allaient plus tard prévenir la gueule de bois par une méthode d'une simplicité géniale qui consiste à ajouter de l'eau de mer au vin, ce qui fait vomir et empêche carrément de se saouler.

Le remède de Pliny, ou les taches sur les draps

Un célèbre Romain, Pliny l'Ancien, fut le premier homme à réaliser une étude systématique des remèdes contre la gueule de bois. Il recommanda initialement de porter une guirlande de persil en se couchant après une grande beuverie pour prévenir tout effet indésirable. Force est de reconnaître que le seul effet de cette précaution fut malheureusement l'ajout de taches vertes au spectre technicolor de toutes les autres marques sur les draps de ceux qui l'essayaient. Vers la fin de sa vie, il abandonna ce remède en faveur de la pratique résolument moderne et rationnelle qui consistait à avaler des œufs crus en buvant de l'huile d'olive parfumée à l'ail.

Le remède romain du mou

Ainsi appelé parce que c'était l'un des favoris des Romains et qu'il utilisait le mou du mouton, ou poumon comme on l'appelle maintenant. Il fut mieux connu plus tard sous le nom de Remède du Silence des Agneaux. On peut le préparer de plusieurs manières, mais le plus simple est de faire ce que l'on peut appeler les saucisses de mou de mouton.

De nos jours, il est souvent plus facile d'acheter le poumon chez le boucher ou au supermarché plutôt que de s'embêter à abattre sauvagement son mouton familier favori et à devoir nettoyer après.

Mais si vous préférez la méthode traditionnelle, prenez votre mouton et tranchez-lui la gorge avec un instrument métallique bien coupant. Attendez que le mouton soit complètement mort. Dépecez-le, puis arrachez-lui un poumon et une partie du gros intestin et mettez le premier dans le deuxième. Passez au gril ou faites cuire sur la braise à votre goût.

Le remède égypto-romain du chou

Les Egyptiens mangeaient autrefois d'abondants hors-d'œuvre à base de chou pendant leurs fêtes, tandis que les Romains prisaient les vertus réparatrices de ce légume après leurs orgies. La science a confirmé l'efficacité de l'humble chou dans le traitement de la gueule de bois. On peut donc tirer son chapeau aux Allemands qui aiment manger de la choucroute quand ils boivent.

Le remède des Genghis Khan

Cette recette n'a rien à voir avec les grands rois guerriers des plaines mongoles, mais elle inclut de la crème de tartre, importée autrefois des déserts tartares, qui nous permet de placer un calembour vraiment tiré par les cheveux.

Ingrédients:
1 cuillerée à café de sel d'Epsom
1 cuillerée à café de crème de tartre
1 cuillerée à café de gingembre en poudre

Mélangez les ingrédients et faites dissoudre dans de l'eau. Ce fortifiant rafraîchissant et rationnel soulage l'estomac et remplace les minéraux perdus. Il atténue une gueule de bois modérée mais ne fait pas le poids en cas d'empoisonnement grave par l'alcool.

Le remède du Royaume des Francs

Au temps où les chevaliers étaient vaillants et où l'aspirine était encore à inventer, quelques amandes et anguilles hachées versées dans le grog du matin suffisaient à mettre la joie au cœur de nos gentils damoiseaux.

Le remède de Boyle contre le mal de tête

Robert Boyle, savant irlandais du dix-septième siècle, est célèbre pour la loi de Boyle selon laquelle à une température donnée, la pression d'un gaz varie inversement à son volume.

Vous pouvez comparer la rationalité de cette réflexion avec sa Cure pour le mal de tête à consommer après avoir trop bu:

> «Prenez de la ciguë verte bien tendre et mettez-la dans vos bas-de-chausses de sorte qu'elle soit bien à plat entre la laine et la plante de vos pieds. Changez-la de place une fois par jour.»

Le thé aux crottes de lapin

Voici une cure qui nous vient du temps des westerns, quand les hommes étaient des hommes et que leur domaine s'étendait souvent à perte de vue – c'est-à-dire parfois jusqu'au bout de leur nez, parce que le whiskey, à l'époque, était souvent moins du whiskey que du décapant à peinture, de la créosote, du café trop clair ou toute préparation liquide, marron et toxique.

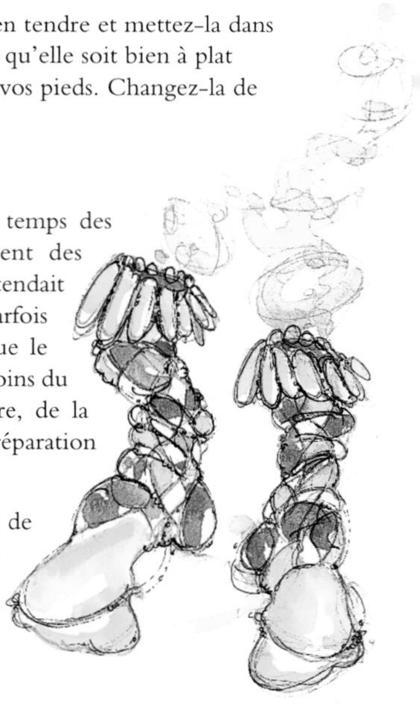

Mais s'il vous arrivait effectivement de boire au point de ne plus pouvoir ouvrir les yeux et que vous étiez assez prévoyant, vous aviez ramassé des crottes de lapin que vous aviez fait sécher. Sorti de votre hébétude, vous n'aviez qu'à les dissoudre dans du thé et en boire une tasse toutes les demi-heures.

Le remède noir et blanc

Les ramoneurs de cheminées de l'époque victorienne à Londres utilisaient réellement ce remède. Eh ben, mon bon Monsieur, vous savez qu' ça marchait!

Ingrédients:
1 tasse de lait chaud
1 cuillerée à café rase de suie

Délayez la suie dans le lait et buvez doucement. Le lait chaud vous réhydrate, remplace les minéraux perdus et vous soulage l'estomac. La suie, comme le charbon de bois, est un chélateur et aide votre organisme à se débarrasser de tous les poisons qui restent de la veille.

Le Baume de Floriani

Le Baume de Floriani était un mélange de vin blanc, de térébenthine et d'épices qui connut un immense succès en Italie au siècle dernier. On comprend mal pourquoi. N'essayez sous aucun prétexte de le préparer à la maison.

CHAPITRE SIX

LES REMÈDES DES CÉLÉBRITÉS

...

Quelle qu'en soit la raison, les célébrités qui ont laissé leurs remèdes contre la gueule de bois à la postérité sont généralement du type créatif – écrivains, acteurs, figures médiatiques... Pourquoi les ingénieurs, employés de bureau, chasseurs de rats, comptables, avocats et tourneurs-fraiseurs ont-ils aussi peu contribué à la littérature? Ce n'est certainement pas parce qu'ils n'ont jamais la gueule de bois.

LE BLOODY MARY D'HEMINGWAY

Au sens strict, il s'agit ici uniquement d'un cocktail. Mais les vertus nourrissantes du jus de tomate associées à l'effet homéopathique de la goutte de vodka en font un excellent reconstituant pour les buveurs de haut niveau.

Ingrédients:
1 part de vodka
7 parts de jus de tomate
une goutte de Tabasco
2 gouttes de sauce Worcestershire
jus de citron
sel et poivre à votre goût

On dit que cette boisson doit son nom à la reine Mary Tudor. Mais comme la vodka ne coulait pas vraiment à flots en Angleterre à l'époque, ni le Tabasco d'ailleurs, le cocktail doit être plus récent.

Une théorie beaucoup plus plausible est celle qui veut qu'Ernest Hemingway, un habitué du Harry's Bar à New York, ait ajouté un jour du jus de tomate pour que sa femme Mary ne voie pas qu'il était en train de boire de la vodka. Le plan réussit parfaitement et, le lendemain, notre distingué écrivain confia au barman: «We've caught her out, that bloody Mary.» *(On l'a bien eue, cette foutue Mary).*

Le remède de Pepys

Le chroniqueur londonien du dix-huitième siècle, Samuel Pepys, était un soûlard notoire et menait une lutte de tous les instants contre la bouteille. Ayant toujours un avis sur tout, il aurait été surprenant qu'il n'ait pas quelque chose à déclarer sur le thème de la gueule de bois et de ses remèdes. Inutile de dire, Samuel ne nous aura pas surpris cette fois-là.

Ses suggestions incluent la consommation de petit-lait, raifort, bière et térébenthine. Une fois qu'il était à jeun, il recommanda ce remède éminemment sensé:

Versez une grande quantité de sucre dans un litre de jus d'orange.

C'était une boisson qui apportait beaucoup de vitamine C, beaucoup d'énergie et un volume suffisant de liquide pour réhydrater.

Walter Matthau

Crème glacée. Voilà un traitement intelligent et apaisant recommandé par un homme qui avait l'air d'être né avec la gueule de bois. «J'ai été saoul une fois», confessa-t-il. «C'était en 1943 à Kearney, dans le Nebraska. J'ai essayé de faire disparaître ma casquette à boulons avec de la glace, mais ça ne tenait pas et j'ai dû souffrir jusqu'à ce que la glace reste en place.

F Scott Fitzgerald

Selon une biographie de cet alcoolique de classe olympique, Fitzgerald nota ce remède pour une amie qui lui avait demandé d'écrire quelque chose spécialement pour elle:

«Je n'est jamais vu Skot Fitjéral a gin, mais ses un trait grant ami a moi. Il ma souvent parlé de ses métodes. Il commance le matin avec 3 (trois) whiskis bien tassé et apré il sarette plus pendant des annés.»

WC Fields

L'approche de F Scott Fitzgerald est très semblable à celle adoptée par son contemporain, l'acteur dramatique W. Fields. Mais alors que Fitzgerald affichait au moins un certain embarras à l'égard de son «problème», Fields était constamment à l'attaque et, jusqu'à la fin, ne donna aucun signe de remords pour sa consommation immodérée. A quelqu'un qui lui demandait un jour s'il voulait un verre d'eau il répondit: «De l'eau??? Mais les poissons b★★★ dans l'eau!» Ce que, je pense, nous pouvons interpréter comme un non.

Il préférait à la place un Martini préparé avec une part de vermouth pour quatre parts de gin – 24 heures sur 24.

Le remède d'Evelyn Waugh

L'écrivain anglais Evelyn Waugh (prononcé War), célèbre pour son *Brideshead Revisited*, était un épouvantable snob caractérisé par une autosatisfaction sans bornes.

La boisson tenait une part importante dans la vie de l'aristocratie indolente qu'il aspirait à côtoyer et il eut donc été inconcevable qu'il choisît autre chose que le champagne comme ingrédient principal de son remède:

Ingrédients: 1 verre de champagne, 1 morceau de sucre Angostura, poivre rouge

Trempez un morceau de sucre dans l'Angostura et saupoudrez-le de poivre rouge. Faites-le tomber dans le champagne et buvez après quelques instants de contemplation. Waugh décrivait ce breuvage comme douloureusement délicieux. Je le qualifierais simplement de douloureux.

Le lait caillé au vin de Keith Floyd

Keith Floyd, globe-trotter anglais œnophile et chef cuisinier du petit écran, ne cache pas sa passion pour un petit verre ou deux, ou trois, etc. En fait, il en a fait sa carrière. Il y a peu de gens encore vivants qui aient une telle expérience des alcools du monde entier et qui aient autant l'occasion de tester les mesures correctives. Si une université devait un jour créer une chaire de Gueule de boisérologie appliquée, M. Floyd serait sans aucun doute le meilleur candidat au poste.

Il conseille la préparation suivante pour remédier à un équilibre un peu vacillant après un abus de vin. Non seulement elle fait merveille, mais elle est absolument délicieuse. On notera que les proportions sont données pour deux personnes. Comme vous n'êtes sans doute pas une star de la télévision et qu'il est donc peu probable que vous receviez toute la nuit, vous modifierez les mesures en conséquence.

Ingrédients: 1 verre de lait, 1 verre de vin blanc sec, 1 cuillerée à dessert de miel liquide, 1 cuillerée à café de zeste de citron finement râpé, une pincée de gingembre, de clou de girofle et de cannelle en poudre et de la muscade fraîchement râpée.

Faites chauffer le mélange de lait et de vin jusqu'à ce que le lait caille, saupoudrez avec les épices, versez dans deux verres à travers une passoire et buvez tiède.

Keith Richards

Voilà l'homme dont on peut vraiment dire qu'il a lancé mille problèmes de boisson graves. Au sommet de sa gloire, le guitariste des Rolling Stones avait la réputation d'être l'homme le plus élégamment ravagé de la planète. Nombreux sont ceux qui ont essayé de copier son hédonisme échevelé, oubliant qu'ils n'avaient ni sa constitution étonnamment robuste, ni son compte en banque étonnamment étoffé.

Keith qui, pendant vingt ans, a rarement été photographié sans une bouteille de Jack Daniels à la main, avait des méthodes remarquablement simples de faire face aux retombées de ses cuites mémorables. Parfois il se faisait juste changer le sang. Le plus souvent, il allait se coucher pendant un, deux ou même trois jours jusqu'à ce que le problème ait disparu.

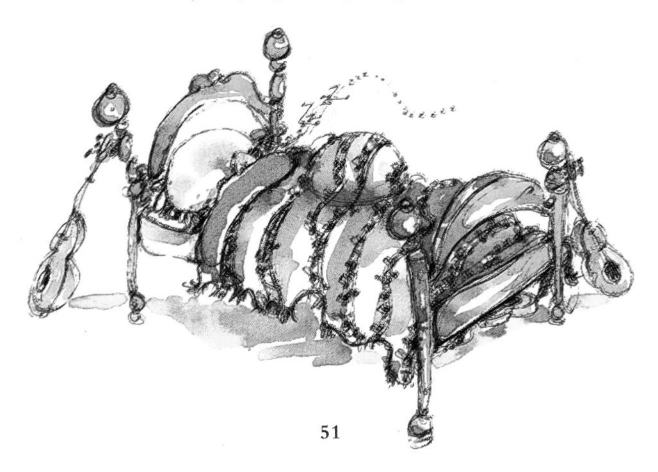

CHAPITRE SEPT

REMÈDES NEW AGE ET RECETTES BREVETÉES

•••

La sorcellerie ne fait plus guère recette aujourd'hui, mais beaucoup l'ont remplacée dans leurs explications de l'univers par un déploiement étonnant de panacées, conjectures, credos et inventions. Ce qui veut dire que de nos jours, en dépit de notre sophistication scientifique, nous avons sans doute plus de remèdes que jamais contre la gueule de bois. Certains représentent la limite extrême du désir essayant de devenir réalité. D'autres représentent simplement la limite extrême de l'opportunisme commercial.

RÉFLEXOLOGIE

Basée sur la conviction que le corps est reflété dans le pied. Tenez votre gros orteil juste au-dessous de la première articulation entre le pouce et l'index et serrez très fort pendant deux minutes. Et voilà, fini le mal de tête paraît-il.

NUX VOMICA

C'est un vieux remède homéopathique qui combat le poison dans votre corps avec un soupçon de strychnine. Il dégage la tête et l'estomac. N'essayez sous aucun prétexte de faire des économies en le fabriquant vous-même.

REINE-DES-PRÉS

Une herbe commune qui contient une forme naturelle de salicylate, le principe actif de l'aspirine. Cherchez-en un champ plein et broutez jusqu'à ce que vous vous sentiez mieux.

Les Anglais préfèrent mâcher leurs battes de criquet, qui sont effectivement fabriquées en saule, encore plus riche en salicylate.

Aromathérapie

L'huile d'onagre est censée avoir des effets rajeunissants remarquables si on la fait pénétrer dans la peau en massant, tandis que la menthe poivrée stimule le système et que l'eucalyptus dégage la tête. Ce remède est particulièrement puissant si vous employez une personne jeune et du sexe opposé pour le massage et que vous combinez imperceptiblement ce traitement avec celui de Kingsley Amis (voir chapitre 2).

Machines à cerveau

Produit du mariage entre les technologies de pointe et la croyance en les fées, ces machines de type casque fonctionnent en produisant des stimuli visuels et auditifs conçus pour copier le schéma de l'activité de votre cerveau. Après une demi-heure d'utilisation de cet équipement, j'ai pu constater une différence notable dans l'une des pires gueules de bois de ma carrière. Hautement recommandé.

Sable de corail japonais

Lorsqu'on l'utilise en infusion comme un sachet de thé, il élimine l'acidité des liquides, dit-on. Cependant, cela gâche un peu le plaisir de boire quand on sait que l'on verse dans son verre la moitié du plateau continental du Japon. Remède exclusivement réservé aux très crédules.

Alka-Seltzer

Le remède breveté le plus connu. Contenant, de l'aspirine, de l'acide citrique et du bicarbonate de soude, il gère votre mal de tête et vous soulage l'estomac.

C'est un traitement fiable, quoique sans imagination, qui devrait aider dans tous les cas de traumatisme post-alcool sans gravité extrême.

Morning after (lendemain matin)

Fabriqué par Country House Products of Great Britain, il est présenté comme «le premier réconfortant naturel en cas de gueule de bois». Vous remarquerez qu'ils ne le décrivent pas comme un remède et on peut donc les féliciter pour leur honnêteté. Le produit est vendu sous forme de sachets et contient des extraits d'à peu près toutes les plantes qui aient jamais poussé. Buvez un demi de ce breuvage doux et réparateur avant d'aller au lit. Personnellement, je préfère arracher la tête de petits lapereaux avec mes dents et boire ensuite leur sang.

Fernet Branca et Underberg

Je place ces deux petits toniques particuliers dans la même catégorie, bien que l'un soit une liqueur amère qui vient de Milan tandis que l'autre est un digestif à base de plantes fabriqué en Allemagne. Là s'arrêtent les différences. Tous deux contiennent la décoction d'une bonne quarantaine de plantes différentes et tous deux sont plus infects qu'on ne croirait possible. Imaginez la bile fermentée d'un sconse tuberculeux et vous commencez à avoir une idée.

Mais allez dans tout bar digne du nom, n'importe où dans le monde, et les voilà, tapis à côté de la caisse ou au coin de l'étagère du haut, comme deux loubards qui attendent de vous tirer votre gueule de bois. Ces deux boissons sont fortement alcoolisées et, consommées avec modération, sont efficaces à leur façon.

CHAPITRE HUIT

IL FAUT APPELER UN MÉDECIN

•••

Jusqu'à présent, nous avons entendu l'avis de tous les je-sais-tout et gros malins en tous genres qui aient jamais porté un verre à leurs lèvres. Paysans préhistoriques, monarques rongés par la syphilis, magiciens, mégalomanes, obsédés sexuels et dipsomanes, nous les avons tous écoutés. Nous leur avons témoigné le respect qu'ils méritaient et, dans bien des cas, celui qu'ils ne méritaient pas.

Mais maintenant il est temps de tourner l'oreille vers les experts, ce petit groupe de braves dont le métier est de savoir vraiment ce qui se passe dans notre corps, qui mettent à profit des années d'études et d'apprentissage et qui, si ça se trouve, disent même la vérité.

Mais peut-être aussi qu'ils ne la disent pas. Parce que la triste réalité, c'est que malgré la sagesse et la compétence que nous leur attribuons, les médecins ne sont que des hommes. Ils sont donc la proie de l'ambition, la fantaisie, les croyances erronées, l'erreur et même la méchanceté pure, comme chacun de nous.

LE TRAITEMENT AU LIBRIUM DU DR LEONARD GOLDBERG

Prenez le traitement au librium du Dr Leonard Goldberg tel qu'il a été présenté lors de la 28ème conférence internationale sur l'alcool et l'alcoolisme. Après avoir procédé à des essais sur mille volontaires, il a conclu que le tranquillisant librium guérit la gueule de bois et dessoûle deux fois plus vite que le café. C'est peut-être parce que le café ne dessoûle pas du tout. Et comme vous le dira tout adolescent ayant déjà fait un raid sur la boîte de valium de ses parents, les tranquillisants renforcent en fait les effets de l'alcool.

En revanche, il peuvent aider à mieux dormir. Parfois pour toujours, comme en témoigneront – ou pas – Brian Jones, Jim Morrison, Jimi

Hendrix et bien d'autres. Tout bien pesé, il est sans doute préférable de rester à l'écart de cette ligne d'action, à moins d'être sous surveillance médicale étroite.

Le petit conseil du Dr Mack Mitchell

Buvez sur un estomac plein. C'est probablement la meilleure chose à faire (hormis boire moins) pour réduire la gravité d'une gueule de bois, déclare le Dr Mitchell.

Le remède aux vitamines du Dr Linus Pauling

Le lauréat du Prix Nobel, Dr Linus Pauling, recommande des doses massives de vitamine C. Il s'appuie sur les recherches en Australie, qui suggèrent qu'une dose de 30 g administrée par voie intraveineuse peut vous dessoûler en quelques minutes, vous laissant sans aucun effet secondaire. Ca a l'air bien. Ca doit marcher.

Tout ce que je puis dire, c'est que j'ai essayé une fois de boire 10 g de vitamine C diluée, ou d'acide ascorbique comme on l'appelle plus exactement, pour guérir une gueule de bois particulièrement tenace. Le produit m'a déchiqueté la paroi de l'estomac comme l'aurait fait de l'acide sulfurique. Quelques moments plus tard j'étais incontinent et nauséeux. Plusieurs heures après, je n'avais toujours pas récupéré.

La corne d'abondance de pilules vitaminées du Dr Feelgood

Ce festival de pilules est très proche du remède du Dr Pauling, mais c'est un traitement plus équilibré qui peut être pris la veille. Il devrait remplacer la plupart des vitamines et minéraux détruits par la bibine. Et même si c'est le seul résultat, votre corps produira un cliquetis apaisant quand vous marchez.
Deux fois la dose journalière de vitamines A et D
Quatre fois la dose journalière de vitamines B1, B6 et C
10–20 mg de nioxine, 250 mg de calcium, 250 mg de magnésium

Le programme en huit étapes du Dr Seymouth Diamond

C'est au brillant Dr Diamond, directeur de la Clinique Diamond des Céphalées, que revient le mot de la fin, parce qu'il vous dit ce qu'il en est. Il nous livre brutalement la vérité, à savoir qu'il n'existe aucune méthode permettant de se débarrasser complètement d'une gueule de bois. Si vous avez empoisonné votre corps et que vous l'avez privé de sommeil, il lui faut du temps pour guérir et il vous faut du temps pour souffrir.

Cependant, vous pouvez prendre certaines mesures pour améliorer un peu la situation:

Etape un
Buvez du jus de fruit. Le fructose vous aidera à métaboliser l'alcool plus rapidement.

Etape deux
Prenez un analgésique. Le mal de tête est l'un des pires aspects de la gueule de bois.

Etape trois
Buvez beaucoup d'eau avant et après le coucher pour favoriser la réhydratation.

Etape quatre

Prenez des acides aminés pour aider à remplacer les protéines détruites par l'alcool.

Etape cinq

Buvez du café. Deux tasses seulement permettent de réduire le gonflement de vos vaisseaux sanguins qui provoque le mal de tête.

Etape six

Faites un bon repas, mais mangez léger. Pas de graisse ni de friture. Un consommé (bouillon de viande ou de poulet) aidera à remplacer le sel et le potassium.

Etape sept

Prenez des vitamines du complexe B. Elles accélèrent la fin de la gueule de bois en soutenant votre organisme agressé.

Etape huit

Dormez. Couchez-vous tôt le lendemain. Votre corps peut alors se réparer lui-même.

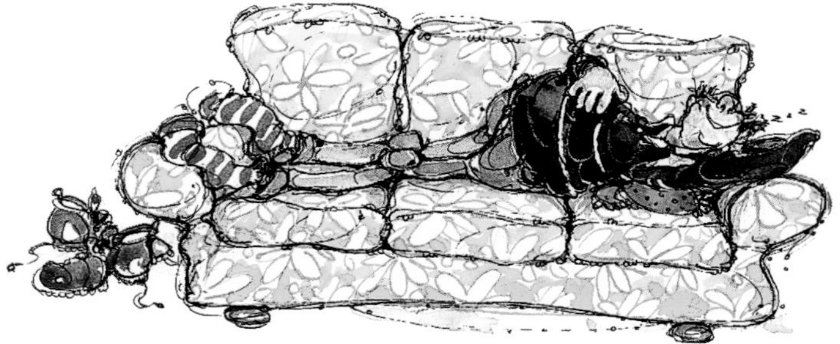